PAROLES POUR P

D0527364

SEIGNEUR, MON ESPÉRANCE

NOVALIS / CERF

La série «PAROLES POUR PRIER»

«PAROLES POUR PRIER», ce sont des textes de prière et aussi de réflexion.

Des textes de toutes les époques, de tous les pays, de toutes les religions.

Des textes qui s'enracinent dans la vie d'hommes et de femmes d'action, de contemplation.

Des textes qui sont des invitations à prier, à formuler notre propre prière.

Des mots qui parlent le langage du cœur.

Des paroles qui témoignent du riche patrimoine spirituel de l'Église et de l'humanité.

Ces textes, regroupés par thèmes, sont publiés en quatre recueils :

1) **Devant toi, Seigneur**

   Dieu. Recherche de Dieu. Dialogue avec Dieu. Dieu qui se révèle en Jésus Christ. Dieu qui est Amour.

   Ce recueil s'adresse à tous ceux pour qui Dieu est une question comme à tous ceux pour qui Dieu est Quelqu'un de bien vivant.

2) **À toi, Dieu, la louange**

   Dans la nature. Émerveillement devant Dieu et devant son œuvre. Action de grâce et louange.

   Ce recueil s'adresse plus particulièrement à ceux qui aiment la nature : voyageurs, explorateurs, Guides et Scouts, campeurs.

3) **Seigneur, mon espérance**

   Pour le temps de maladie. Confiance et abandon.

   Ce recueil s'adresse plus particulièrement aux malades, aux personnes âgées et à tous ceux et celles qui leur sont présents.

4) **Vienne ta justice**

   Engagement. Action. Prières et réflexions à partir de situations d'injustice et d'oppression dans le monde.

   Ce recueil s'adresse à tous ceux qui sont préoccupés de la paix et de la justice dans le monde et plus particulièrement à ceux qui sont engagés dans l'action.

La souffrance, la maladie, la mort : un jour ou l'autre, nous les rencontrons, soit en nous, soit en quelqu'un que nous aimons.

Et nous luttons. De toutes nos forces, par tous les moyens qui s'offrent à nous. Une lutte fondamentale, farouche, instinctive, viscérale. Parce que nous voulons vivre.

Dans cette lutte, Dieu nous accompagne. Dieu est Vie et il veut la vie. Non la mort. En Jésus, Dieu-avec-nous, la mort a été vaincue. Elle a été transformée en un passage vers la vie. La vie en plénitude.

La mort n'est pas la fin de tout. Dans le Christ, nous sommes plus forts qu'elle. Avec assurance, nous pouvons la regarder en pleine face.

C'est dans cette optique que la confiance et l'abandon à la volonté de Dieu prennent tout leur sens : non pas signes de démission ou de faiblesse mais expression d'un amour envers un Dieu qui nous aime et qui lutte à nos côtés. Pour que nous ayons la vie.

CONFIANCE
ET ABANDON

Confiance en Dieu notre Père

Souvent les soucis et les inquiétudes nous envahissent. Pourtant Dieu est notre Père et il sait de quoi nous avons besoin.

Ne vous faites pas tant de souci
pour votre vie, au sujet de la nourriture,
ni pour votre corps, au sujet des vêtements.
La vie ne vaut-elle pas plus que la nourriture,
et le corps plus que le vêtement ?
Regardez les oiseaux du ciel :
ils ne font ni semailles ni moissons,
ils ne font pas de réserves dans des greniers,
et votre Père céleste les nourrit.
Ne valez-vous pas beaucoup plus qu'eux ?
D'ailleurs, qui d'entre vous, à force de souci,
peut prolonger tant soit peu son existence ?
Et au sujet des vêtements,
pourquoi se faire tant de souci ?
Observez comment poussent les lis des champs :
ils ne travaillent pas, ils ne filent pas.
Or je vous dis que Salomon lui-même,
au sommet de sa gloire,
n'était pas habillé comme l'un d'eux.
Si Dieu habille ainsi l'herbe des champs,
qui est là aujourd'hui,
et qui demain sera jetée au feu,
ne fera-t-il pas bien davantage pour vous,
hommes de peu de foi ?
Ne vous faites donc pas tant de souci ;
ne dites pas : Qu'allons-nous manger ?
ou bien : Qu'allons-nous boire ?
ou encore : Avec quoi nous habiller ?
Tout cela, les païens le recherchent.
Mais votre Père céleste sait que vous en avez besoin.
Cherchez d'abord son Royaume et sa justice,
et tout cela vous sera donné par-dessus le marché.
Ne vous faites pas tant de souci pour demain :
demain se souciera de lui-même ;
à chaque jour suffit sa peine.

(Matthieu 6, 25-34)

Ce que tu voudras

John Henry Newman est né à Londres en 1801. Prêtre anglican il participa activement au renouveau de son église. En 1845, il se convertit au catholicisme. En 1879, il est créé cardinal. Il meurt en 1890. C'est un grand témoin de la prière d'abandon et de confiance.

Fais de moi, Seigneur,
ce que tu voudras.
Je ne marchande pas,
je ne mets pas de conditions.
Je serai ce que tu voudras.
Je ne cherche pas à savoir
où tu me conduis.
Je ne dis pas
que je te suivrai où tu iras,
car je suis faible.
Mais je me donne
pour que tu me mènes
où tu voudras.

(John Henry Newman)

Je mets mon espoir
dans le Seigneur,
je suis sûr de sa parole.

(Psaume 129)

Acte de confiance

Seigneur, je suis si persuadé
que tu veilles sur chacun de nous
et qu'on ne peut jamais manquer de rien
quand on a confiance en toi,
que j'ai résolu de vivre désormais
sans aucun souci
et de me décharger sur toi
de toutes mes inquiétudes.

Certains attendent le bonheur
de leurs richesses ou de leurs talents;
d'autres s'appuient
sur l'innocence de leur vie,
ou sur les rigueurs de leurs pénitences,
ou sur le nombre de leurs aumônes,
ou sur la ferveur de leurs prières.
Pour moi, Seigneur,
toute ma confiance
c'est ma confiance même.
Je suis assuré
que je serai éternellement heureux,
parce que je l'espère fermement
et que c'est de toi, ô Seigneur,
que je l'espère.

(Claude de la Colombière)

Ma lumière et mon salut

Le Seigneur est le Chemin, la Vérité, la Vie. Avec lui, de qui aurions-nous peur?

Le Seigneur est ma lumière et mon salut;
de qui aurais-je crainte?
Le Seigneur est le rempart de ma vie;
devant qui tremblerais-je?

J'ai demandé une chose au Seigneur,
la seule que je cherche :
habiter la maison du Seigneur
tous les jours de ma vie.

Oui, il me réserve un lieu sûr
au jour du malheur;
il me cache au plus secret de sa tente,
il m'élève sur le roc.

Écoute, Seigneur, je t'appelle!
Pitié! Réponds-moi!
Mon cœur m'a redit ta parole :
« Cherchez ma face. »

C'est ta face, Seigneur, que je cherche :
ne me cache pas ta face.
N'écarte pas ton serviteur avec colère :
tu restes mon secours.

Ne me laisse pas, ne m'abandonne pas,
Dieu, mon salut!
Mon père et ma mère m'abandonnent;
le Seigneur me reçoit.

(Psaume 26)

Je m'abandonne à Toi

Prière confiante d'une grande poète française qui aimait la vie, passionnément, et qui a connu la souffrance, l'angoisse de la mort, le doute.

Marie Noël (1883-1968), de son vrai nom Marie Rouget, a passé toute sa vie dans sa Bourgogne natale. Son œuvre poétique exprime une foi chrétienne toute imprégnée de spiritualité franciscaine.

Dans : MARIE NOËL, *Les chansons et les heures*, Éd. Stock, Paris, 1935, p. 147-148.

Père, porte mon âme en son insouciance
Jusqu'où tu veux et qu'elle dorme dans ta main
Sans demander le sens et le but du chemin.

Qu'elle soit, n'ayant plus ni dessein, ni science,
Légère, détachée et joueuse au réveil
Comme les moucherons qui dansent au soleil.

Détourne d'elle une inquiète défiance
Qui mesure avant toi le fil de l'avenir
Et qui pèse l'espoir avec le souvenir ;

Et l'analyse accroupie en la conscience,
Dont l'ongle sans repos fouille de son labour
L'ombre, l'ombre de l'ombre et n'y fait pas de jour.

Je m'abandonne à Toi, divine Sapience :
Ma force sera prête à l'heure du besoin
Comme un manteau d'enfant dont la mère a pris soin.

Je ferai ce que tu voudras, de confiance,
J'espère tout, mon Dieu : Tu règnes sur le Bien.
Tu règnes sur le Mal et je n'ai peur de rien.

Ce que j'attends, je l'attends sans impatience,
Ô mon Père, ô ma Mère, ô mon unique foi !
Au destin qu'il me faut, loin ou près, porte-moi.

Tu vois le Temps et tout s'offre à ta prescience :
Les fruits en moi comme le germe dans le grain.
Tu connais ma fatigue, et ma soif, et ma faim...

Et ton enfant n'a pas besoin d'expérience.

(Marie Noël)

Même quand je ne comprends pas

Mon Dieu, je crois à ton infinie bonté,
non seulement à cette bonté
qui embrasse le monde,
mais à cette bonté particulière
et toute personnelle
qui aboutit à cette pauvre créature
que je suis,
et qui dispose tout
pour son plus grand bien.
C'est pourquoi, Seigneur,
même quand je ne vois pas,
quand je ne comprends pas,
quand je ne sens pas,
je crois que l'état où je me trouve
et tout ce qui m'arrive
est l'œuvre de ton amour;
et de toute ma volonté
je le préfère à tout autre état
qui me serait plus agréable,
mais qui viendrait moins de toi.
Je me remets entre tes mains :
fais de moi ce qu'il te plaira,
ne me laissant que la consolation
de t'obéir.

(Saint Pie X)

Prière dans la détresse

Dietrich Bonhoeffer, né en 1906 en Allemagne, pasteur protestant, théologien renommé, adversaire du nazisme, fut exécuté à l'âge de 39 ans dans le camp de concentration de Flossenbürg, en avril 1945, après deux ans de captivité. Le texte ci-contre, qui date de Noël 1943, est extrait d'une série de « prières pour les compagnons de captivité ».

Dans : DIETRICH BONHOEFFER, *Résistance et soumission*, Éd. Labor et Fides, Genève, 1963, p. 68.

Seigneur Dieu,
une grande misère m'a assailli.
Mes soucis m'oppressent.
Je ne vois aucune issue.
Mon Dieu, sois favorable et aide-moi.
Donne-moi la force de supporter
ce que tu m'envoies.
Ne permets pas que l'angoisse me domine.
Prends soin paternellement des miens,
de ma femme et de mes enfants.

Seigneur miséricordieux, pardonne-moi.
J'ai péché contre toi et les hommes.
Je me confie à ta grâce
et remets ma vie entre tes mains.
Agis envers moi selon ton bon plaisir
et, si tu le veux, en ma faveur.
Que je vive ou que je meure,
je suis auprès de toi
et toi auprès de moi, ô Dieu.
Seigneur, j'attends ton salut
et ton règne.

(Dietrich Bonhoeffer)

---

*Le Seigneur entend ceux qui l'appellent :
de toutes leurs angoisses, il les délivre.
Il est proche du cœur brisé,
il sauve l'esprit abattu.*

(Psaume 33)

Trois prières de communion

Ces trois prières
d'abandon et
d'espérance ont été
composées, à partir des
dernières paroles du
Christ, par Frère
Roger, de Taizé, dans
l'esprit et le prolonge-
ment de la « Lettre du
concile des jeunes à
toutes les générations »
écrite sur la Mer de
Chine en décembre
1977.

Dans : *Lettre de Taizé*,
janvier 1978.

Ô Christ, toi qui comme un pauvre
te tiens caché auprès de chaque être humain,
tu es là malgré nos doutes.
Face au silence de Dieu ou aux abandons humains,
tu nous donnes de prier avec toi :
« Mon Dieu, mon Dieu,
pourquoi m'as-tu abandonné ? »

* * *

Quand l'incompréhension semble tout recouvrir,
donne-nous, ô Dieu, de vivre du pardon,
cet extrême de l'amour :
« Père, pardonne-leur,
car ils ne savent pas ce qu'ils font. »
Père, pardonne-moi, car si souvent moi non plus
je ne sais pas ce que je fais.
Ainsi, pardonnés et encore pardonnés,
tu nous engages à souffler sur les remords eux-mêmes
comme l'enfant souffle sur la feuille morte,
pour pressentir la certitude des certitudes :
là où il y a le pardon, là il y a Dieu.

* * *

Ouvre en nous, ô Dieu, les portes de la louange,
pour dire avec ton Christ :
« Père, je remets mon esprit entre tes mains. »
Tu nous sais parfois si dépourvus et vulnérables.
Sois remercié, Seigneur Christ, pour la fragilité humaine,
puisqu'elle nous introduit
sur le chemin où te faire confiance
éveille à l'unique essentiel :
ta vie au-dedans de nous.

(Frère Roger)

14

La prière pauvre

C'est avec une certaine audace et beaucoup de simplicité que Marie Noël s'adresse ici à Dieu, comme à un intime.

Notice biographique sur Marie Noël : p. 10.

Dans : MARIE NOËL, *Notes intimes*, Éd. Stock, 1959, p. 41.

Mon Dieu, je ne vous aime pas,
je ne le désire même pas,
je m'ennuie avec vous.
Peut-être même que je ne crois pas en vous.
Mais regardez-moi en passant.
Abritez-vous un moment dans mon âme,
mettez-la en ordre d'un souffle,
sans en avoir l'air, sans rien me dire.
Si vous avez envie que je croie en vous,
apportez-moi la foi.
Si vous avez envie que je vous aime,
apportez-moi l'amour.
Moi, je n'en ai pas et je n'y peux rien.
Je vous donne ce que j'ai :
ma faiblesse, ma douleur.
Et cette tendresse qui me tourmente
et que vous voyez bien...
Et ce désespoir...
Et cette honte affolée...
Mon mal, rien que mon mal...
C'est tout !
Et mon espérance !

(Marie Noël)

Prière d'abandon

Converti en 1886 à l'âge de 28 ans, Charles de Foucauld entre à la Trappe de Notre-Dame-des-Neiges dans le Sud de la France. De 1897 à 1900, on le retrouve domestique chez les Clarisses de Nazareth. Ordonné prêtre en 1901, il se fixe à Tamanrasset dans le Sahara où il meurt en 1916, assassiné par des guerriers Senoussis. La prière ci-contre est probablement le texte le plus connu que nous ayons de lui.

Mon Père,
je m'abandonne à toi.
Fais de moi ce qu'il te plaira.
Quoi que tu fasses de moi,
je te remercie.
Je suis prêt à tout,
j'accepte tout.
Pourvu que ta volonté
se fasse en moi,
en toutes tes créatures,
je ne désire rien d'autre,
mon Dieu.
Je remets mon âme entre tes mains.
Je te la donne, mon Dieu,
avec tout l'amour de mon cœur,
parce que je t'aime,
et que ce m'est un besoin d'amour
de me donner,
de me remettre entre tes mains,
sans mesure,
avec une infinie confiance,
car tu es mon Père.

(Charles de Foucauld)

17

Je te confie, Seigneur

Lancelot Andrewes (1555-1626), évêque anglican de Winchester, a écrit *Preces privatæ*, excellent recueil de prières inspirées de la Bible et des Pères de l'Église.

Dans: LANCELOT ANDREWES, *Preces privatæ*, Éd. Arthaud, Grenoble, 1946, p. 36.

Je te confie, Seigneur,
mon âme et mon corps,
mon esprit et mes pensées,
mes prières et mes vœux,
mes membres et mes sens,
mes paroles et mes œuvres,
ma vie et ma mort,
mes frères et mes sœurs,
et leurs enfants,
mes amis et mes bienfaiteurs,
ceux qui me veulent du bien,
ceux qui ont un droit sur moi,
mes parents et mes voisins,
mon pays et toute la chrétienté.

Je te confie, Seigneur,
mes démarches et mes entreprises,
mes intentions et mes tentations,
mes sorties et mes entrées,
mes stations assis et mes stations debout.

(Lancelot Andrewes)

Prière d'acceptation

Cet acte d'abandon fut longtemps attribué à Madame Élisabeth de France, sœur de Louis XVI, qui le récitait durant sa captivité avant de mourir guillotinée lors de la Révolution française. En fait, il est tiré des *Maximes* du Père de Caussade (1675-1751), jésuite.

Que m'arrivera-t-il aujourd'hui,
ô mon Dieu ?
Je l'ignore.
Tout ce que je sais,
c'est qu'il n'arrivera rien
que vous n'ayez prévu,
réglé et ordonné de toute éternité.
Cela me suffit, ô mon Dieu.
J'adore vos desseins éternels
et impénétrables ;
je m'y soumets de tout mon cœur
pour l'amour de vous.
Je veux tout, j'accepte tout,
je vous fais un sacrifice de tout.
J'unis ce sacrifice
à celui de Jésus Christ,
mon divin Sauveur.
Je vous demande, en son nom
et par ses mérites infinis,
la patience dans toutes mes peines
et une parfaite soumission
à tout ce que vous voudrez
ou permettrez qu'il arrive.

(Jean-Pierre de Caussade)

Prends nos vies

L'Abbé Pierre, fondateur des communautés Emmaüs, est bien connu pour son action auprès des plus pauvres. C'est aussi un homme de prière.

Seigneur, prends nos vies
et qu'elles flambent,
soudain illuminant le noir,
faisant ruisseler la lumière,
consumant le mal,
brisant l'orgueil et l'avarice...

Seigneur, prends nos vies,
et qu'enfin accordées,
elles chantent à l'infini,
sous la joie de ta main, de ta vie,
la seule vie, la seule possible,
puisque la seule sans mal et sans fin.

(Abbé Pierre)

Comme un mendiant

Humble et confiant, un appel au don et au pardon de Dieu.

Toukârâm (1607-1649), fils d'un humble boutiquier, est un des grands mystiques hindous.

Comme un mendiant devant ta porte,
je me tiens debout et je t'implore.
Donne-moi une aumône, ô mon Dieu,
un peu d'amour :
je le recevrai de tes mains aimantes.
Ne me laisse pas t'appeler en vain :
je n'ai aucun mérite,
je ne possède rien,
je ne réclame rien,
je ne demande qu'un don gratuit.
Ne laisse pas retomber sur moi
le poids écrasant de mes fautes :
mes péchés innombrables,
je les place entre tes mains aimantes.

(Toukârâm)

Entre tes mains

D'une activité débordante, saint Bernard de Clervaux (1091-1153) fonda une soixantaine de monastères, prêcha la Croisade, écrivit de nombreux traités, sermons et poèmes à la Vierge.

Ô Dieu miséricordieux,
par qui j'ai l'être,
la vie et le savoir,
entre tes mains je m'abandonne,
en toi je me confie,
en toi j'espère,
en toi je place toute mon attente,
toi ma résurrection,
ma vie et mon corps,
je t'aime et je t'adore,
toi auprès de qui je demeurerai
et trouverai le bonheur.

(Saint Bernard)

Donne-moi de sourire

Pour demander d'être attentif aux moindres signes de bonté et d'amour.

Notice biographique sur Marie Noël : p. 10.

Seigneur, accompagne-moi,
ne me quitte pas aujourd'hui,
j'aurai besoin de sourire.
Je suis docile, d'avance,
au mal de la journée ;
accorde-moi d'être docile
aux avances gracieuses qu'elle me fera.
Il n'y a, en moi,
d'opposition à aucune peine ;
accorde-moi de ne faire obstacle, non plus,
à aucune semblance de joie.
Donne-moi de recevoir
avec un plaisir de pauvre,
les miettes de la gentillesse,
de la courtoisie, du moindre amour.

(Marie Noël)

UN CŒUR
COMPATISSANT

Ouvre mes yeux

Ouvre mes yeux, Seigneur,
aux merveilles de ton amour.
Je suis l'aveugle sur le chemin :
guéris-moi, je veux te voir.

Ouvre mes mains, Seigneur,
qui se ferment pour tout garder.
Le pauvre a faim devant ma maison :
apprends-moi à partager.

Fais que je marche, Seigneur,
aussi dur que soit le chemin.
Je veux te suivre jusqu'à la Croix :
viens me prendre par la main.

Fais que j'entende, Seigneur,
tous mes frères qui crient vers moi.
À leur souffrance et à leurs appels
que mon cœur ne soit pas sourd.

Garde ma foi, Seigneur,
tant de voix proclament ta mort.
Quand vient le soir et le poids du jour,
ô Seigneur, reste avec moi.

(Michel Scouarnec)

La tendresse du Seigneur

Nous sommes fragiles et limités mais l'amour du Seigneur est pour toujours. Nous pouvons nous appuyer sur lui avec confiance.

Bénis le Seigneur, ô mon âme,
bénis son nom très saint, tout mon être !
Bénis le Seigneur, ô mon âme,
n'oublie aucun de ses bienfaits !

Car il pardonne toutes tes offenses
et te guérit de toute maladie ;
il réclame ta vie à la tombe
et te couronne d'amour et de tendresse.

Comme le ciel domine la terre,
fort est son amour pour qui le craint ;
aussi loin qu'est l'orient de l'occident,
il met loin de nous nos péchés.

Comme la tendresse du père pour ses fils,
la tendresse du Seigneur pour qui le craint ;
Il sait de quoi nous sommes pétris,
il se souvient que nous sommes poussière.

L'homme ! ses jours sont comme l'herbe ;
comme la fleur des champs, il fleurit :
dès que souffle le vent, il n'est plus,
même la place où il était l'ignore.

Mais l'amour du Seigneur,
sur ceux qui le craignent,
est de toujours à toujours,
pour ceux qui gardent son alliance
et se souviennent d'accomplir ses volontés.

(Psaume 102)

Aujourd'hui je crois

Quand tout devient difficile, quand surviennent les épreuves, dans les moments d'angoisse et de doute, dans la maladie, il est bon de redire au Seigneur que l'on continue de croire en lui.

Seigneur, tu m'as toujours donné
le pain du lendemain,
et, bien que pauvre,
aujourd'hui je crois.

Seigneur, tu m'as toujours donné
la force du lendemain,
et, bien que faible,
aujourd'hui je crois.

Seigneur, tu m'as toujours donné
la paix du lendemain,
et, bien qu'angoissé,
aujourd'hui je crois.

Seigneur, tu m'as toujours gardé
dans l'épreuve,
et, bien que dans l'épreuve,
aujourd'hui je crois.

Seigneur, tu m'as toujours tracé
la route du lendemain,
et, bien qu'elle soit cachée,
aujourd'hui je crois.

Seigneur, tu m'as toujours éclairé
mes ténèbres,
et, bien que sans lumière,
aujourd'hui je crois.

Seigneur, tu m'as toujours parlé
quand l'heure était propice,
et, malgré ton silence,
aujourd'hui je crois.

Seigneur, tu m'as toujours été
l'Ami fidèle,
et, malgré ceux qui te trahissent,
aujourd'hui je crois.

Seigneur, tu as toujours accompli
tes promesses,
et, malgré ceux qui doutent,
aujourd'hui je crois.

(Liturgie de l'Église réformée de France)

T'approcher, Seigneur

Les paroles de ce chant (Fiche G 80) constituent une très belle prière. C'est avec humilité et confiance qu'il nous faut approcher le Seigneur, comme l'ont fait les pauvres de son temps.

T'approcher, Seigneur,
je n'en suis pas digne,
mais que ta Parole conduise mes pas,
et je serai guéri.

Te parler, Seigneur,
je n'en suis pas digne,
mais que ta Parole demeure ma joie,
et je serai guéri.

T'inviter, Seigneur,
je n'en suis pas digne,
mais que ta Parole habite mon toit,
et je serai guéri.

Te servir, Seigneur,
je n'en suis pas digne,
mais que ta Parole nourrisse ma foi,
et je serai guéri.

Te chanter, Seigneur,
je n'en suis pas digne,
mais que ta Parole traverse ma voix,
et je serai guéri.

(Nicole Berthet)

Apprends-moi à te servir

Les Scouts et les Guides ont depuis longtemps adopté cette prière que l'on attribue à saint Ignace de Loyola (1491-1556), fondateur de la Compagnie de Jésus.

Seigneur Jésus, apprends-moi
à être généreux,
à te servir comme tu le mérites,
à donner sans compter,
à combattre sans souci des blessures,
à travailler sans chercher le repos,
à me dépenser
sans attendre d'autre récompense
que celle de savoir
que je fais ta sainte volonté.

(Saint Ignace de Loyola)

Donne-moi un cœur pur

Jean de Fécamp, mort en 1079, composa plusieurs ouvrages de mystique. On lui attribue aussi un recueil de prières.

Donne-moi, Seigneur, un cœur pur,
un cœur sincère,
un cœur donné,
un cœur chaste,
un cœur sobre,
un cœur doux,
un cœur humble,
un cœur plein de sérénité,
un cœur qui te désire,
un cœur qui veille à tout,
un cœur compatissant
aux souffrances des autres,
afin que je sache pleurer
avec ceux qui pleurent
et me réjouir
avec ceux qui sont dans la joie.

(Jean de Fécamp)

Âme du Christ

Âme du Christ, sanctifie-moi.
Corps du Christ, sauve-moi.
Sang du Christ, enivre-moi.
Eau du côté du Christ, lave-moi.
Passion du Christ, fortifie-moi.
Ô bon Jésus, exauce-moi.
Dans tes blessures, cache-moi.
Ne permets pas que je sois séparé de toi.
Contre l'ennemi perfide, défends-moi.
À l'heure de ma mort, appelle-moi.
Ordonne-moi de venir à toi
pour qu'avec tes saints je te loue
dans les siècles des siècles.
Amen.

(Prière traditionnelle)

---

*Venez à moi,
vous tous qui peinez
sous le poids du fardeau,
et moi,
je vous procurerai le repos.*

(Matthieu 11, 28)

Une vie qui te plaise

Prière ancienne qui a été attribuée à saint Ambroise. Cette attribution est reconnue comme fictive. On la retrouve dans un livret de prières du 9e siècle.

Seigneur, Père saint et bon,
accorde-moi
une intelligence qui te connaisse,
un cœur qui te sente,
un esprit qui te goûte,
une ardeur qui te cherche,
une sagesse qui te trouve,
une âme qui te comprenne,
des yeux du cœur qui te voient,
une vie qui te plaise,
une persévérance qui t'attende,
une mort sainte.
Donne-moi ta présence,
la sainte résurrection,
une bonne récompense,
la vie éternelle.

(9e siècle)

Prière à Marie

Cette très belle prière du Père Léonce de Grandmaison (1868-1927), jésuite, est empreinte de simplicité et de fraîcheur.

Dans : J. LEBRETON, *Le Père Léonce de Grandmaison*, Éd. Beauchesne, 1932, p. 29.

Sainte Marie, Mère de Dieu,
gardez-moi un cœur d'enfant,
pur et transparent comme une source.
Obtenez-moi un cœur simple,
qui ne savoure pas les tristesses,
un cœur magnifique à se donner,
tendre à la compassion,
un cœur fidèle et généreux,
qui n'oublie aucun bien,
et ne tienne rancune d'aucun mal.

Faites-moi un cœur doux et humble,
aimant sans demander de retour,
joyeux de s'effacer dans un autre cœur,
devant votre divin Fils;
un cœur grand et indomptable,
qu'aucune ingratitude ne ferme,
qu'aucune indifférence ne lasse;
un cœur tourmenté de la gloire de Jésus Christ,
blessé de son amour,
et dont la plaie ne guérisse qu'au ciel.
Amen.

(Léonce de Grandmaison)

Avant tout aimer Dieu

Rédigée vers 540, la *Règle* de saint Benoît demeure la règle fondamentale des bénédictins. Ces quelques extraits nous donnent un mince aperçu de sa richesse spirituelle.

Avant tout aimer Dieu de tout cœur,
puis le prochain comme soi-même.
Honorer tous les hommes.
Ne point faire à autrui
ce que nous ne voulons pas
qu'on nous fasse.
Soulager les pauvres.
Vêtir ceux qui sont nus.
Visiter les malades.
Aider ceux qui sont dans l'épreuve.
Consoler les affligés.
Aimer ses ennemis.
Ne point être orgueilleux.
Vénérer les anciens.
Aimer les plus jeunes.
S'appliquer fréquemment à la prière.
Enfin ne désespérer jamais
de la miséricorde de Dieu.

(Extraits de la Règle de saint Benoît)

*Ce qui finalement fait la vie pleine,
c'est d'avoir eu la chance
de donner beaucoup de soi aux autres.*

(Pierre Teilhard de Chardin)

Quand j'aurai faim

En nous tournant vers les besoins des autres, nous voyons nos propres besoins dans une tout autre perspective.

Seigneur,
quand j'aurai faim,
donne-moi quelqu'un à nourrir.
Quand j'aurai soif,
donne-moi quelqu'un à abreuver.
Quand j'aurai froid,
donne-moi quelqu'un à vêtir.
Quand je serai dans la tristesse,
donne-moi quelqu'un à relever.
Quand mon fardeau me pèsera,
charge-moi de celui des autres.
Quand j'aurai besoin de tendresse,
que l'on fasse appel à la mienne.
Que ta volonté soit ma nourriture,
ta grâce ma force
et ton amour mon repos.
Que toute ma vie soit une offrande
perpétuellement tendue vers toi, ô Père,
jusqu'au jour où il te plaira de la prendre.

(Auteur inconnu)

POUR LE TEMPS
DE MALADIE

Prends pitié de moi, Seigneur

Dieu a tiré Jésus de l'abîme de la mort en le ressuscitant. Aux jours de détresse, nous pouvons nous appuyer sur lui.

Écoute, Seigneur, réponds-moi,
car je suis pauvre et malheureux.
Veille sur moi qui suis fidèle, ô mon Dieu,
sauve ton serviteur qui s'appuie sur toi.

Prends pitié de moi, Seigneur,
toi que j'appelle chaque jour.
Seigneur, réjouis ton serviteur :
vers toi, j'élève mon âme !

Toi qui es bon et qui pardonnes,
plein d'amour pour tous ceux qui t'appellent,
écoute ma prière, Seigneur,
entends ma voix qui te supplie.

Je t'appelle au jour de ma détresse.
Montre-moi ton chemin, Seigneur,
que je marche suivant ta vérité;
unifie mon cœur pour qu'il craigne ton nom.

Je te rends grâce de tout mon cœur,
Seigneur mon Dieu,
toujours je rendrai gloire à ton nom;
il est grand, ton amour pour moi :
tu m'as tiré de l'abîme des morts.

Toi, Seigneur, Dieu de tendresse et de pitié,
lent à la colère, plein d'amour et de vérité !
Regarde vers moi, prends pitié de moi.
Accomplis un signe en ma faveur.

(Psaume 85)

Offrande

En Jésus Christ mort et ressuscité, nos souffrances ont valeur de salut.

Père, en ce jour de la Pentecôte,
où le Saint-Esprit fit naître l'Église,
je t'offre mes souffrances, mes limites,
je veux les porter dans un oui filial.
Je t'offre mes rapports avec les autres,
je veux m'unir à eux par des liens fraternels.
Je t'offre ma vie où tu me places,
je veux servir selon tout mon pouvoir.
Tout, je t'offre tout,
en union avec ton Fils Jésus,
dans sa vie de travail,
dans sa vie d'apostolat,
dans sa mort sur la croix,
pour que ton Église te fasse connaître
et aimer sur toute la terre. Amen.

(Prière de la journée missionnaire des malades)

---

*Vers toi, Seigneur,
j'élève mon âme,
vers toi, mon Dieu.*

(Psaume 24)

Appel à la verticale de la croix

Aline Lamoureux, religieuse de la Congrégation Notre-Dame, est morte d'un cancer le 5 septembre 1972, quelques mois seulement après avoir écrit cette prière qui a été retrouvée dans ses notes personnelles.

À l'appel des hommes en détresse,
la croix du Christ, tous les jours,
dresse sa verticalité essentielle
et toute-puissante.
Et la Vierge compatissante,
Notre-Dame, reste debout,
nous libérant, nous, ses frères, ses enfants,
de l'angoisse des ténèbres, du péché,
de la mort, de la désespérance,
assurant à toute vie,
à toutes souffrances acceptées dans l'amour,
la rectitude et l'efficacité
de leur propre verticalité.

L'horizontale d'un lit de malade,
c'est pour les yeux des hommes.
Seigneur, vous avez dit :
« Quand je serai élevé de terre,
j'attirerai tout à moi ».
Ô Christ, qui m'appelez
de façon véhémente à la verticale,
assurez en moi la réponse pleine,
joyeuse, débordante.
Assurez à ma communauté un attrait renouvelé
pour la contemplation amoureuse de votre croix,
seule capable d'assurer les détachements
nécessaires aux montées quotidiennes.

Seigneur, enseignez-nous
l'irrésistible et bénéfique appel de la verticale.
Les hommes, nos frères, n'auront rien à y perdre
puisque nous aurons appris, par elle,
les chemins de la grâce et de la bonté rayonnante.

(Aline Lamoureux)

Sois très fort avec moi

La courte vie de Pierre Lyonnet (1906-1949), jésuite, a été une vie de souffrances. Malade de 30 à 43 ans, il a connu les cliniques, les interventions chirurgicales, les maisons de repos. Sa santé délabrée ne l'empêchait pas de sourire ni de s'occuper des jeunes. Parmi les écrits qu'il a laissés, on trouve plusieurs prières pour le temps de maladie.

Dans : CENTRE NATIONAL DE PASTORALE LITURGIQUE, *Rencontrer le Seigneur Jésus*, Éd. du Chalet, 1971, p. 45.

Seigneur Jésus,
comment pourrais-je bien prier
quand le mal m'écrase
et que je n'en puis plus ?
Toi qui as connu
le creux de la souffrance,
toi qui es passé par là,
aujourd'hui sois très fort avec moi.
Toi qui as fait face jusqu'au bout,
aide-moi à tenir bon.
Toi qui es vivant, ressuscité,
viens prendre en charge ma faiblesse,
viens prier en moi par ton Esprit Saint.
Et pendant que je continue ta Passion,
fais passer en moi
le souffle de ta Résurrection.

(Pierre Lyonnet)

Vous qui souffrez...

Quand le mal est trop lourd et qu'on n'en peut plus.

Rose-A. Lemire (née en 1935), de la Communauté des Sœurs Grises de Montréal, est secrétaire à l'Administration générale de sa communauté depuis près de 18 ans.

Seigneur, toi qui as dit :
« Venez à moi, vous qui souffrez, et je vous soulagerai »,
regarde ton enfant qui n'en peut plus...
Je voudrais te prier avec un cœur fervent, généreux ;
je voudrais te servir avec un corps solide,
bien campé sur deux jambes, mais je ne le puis pas.
Je t'offre mon incapacité et mes souffrances.
Accepte mon désir de faire ta volonté
et aide-moi à passer la journée avec toi
dans l'amour de ton Père qui est aussi le mien.
Amen.

(Rose-A. Lemire)

Prière à cœur ouvert

Le chrétien fait l'expérience de la souffrance, comme tous les humains, mais il sait que Jésus est plus fort que la maladie et que la mort. C'est pourquoi il prie.

Dans: CENTRE NATIONAL DE PASTORALE LITURGIQUE, *Rencontrer le Seigneur Jésus*, Éd. du Chalet, 1971, p. 42.

Certains jours, chacun cache sa peine
et durcit son visage.
Mais devant toi, Seigneur,
nous pouvons être vrais.
Vois! nous sommes cernés de toutes parts,
amputés de notre travail,
coupés de la vie et de nos liens humains :
quel fruit pourrions-nous encore porter ?
Vois! c'est notre cœur,
et pas seulement notre chair,
qui est meurtri et qui saigne
et qui, de toutes ses forces, crie vers toi…

Seigneur, que peux-tu faire pour nous ?
Tu ne viens pas suppléer à la médecine,
tu ne distribues ni calmants, ni miracles.
Quelle est cette part cachée de nous-même
que toi seul peux guérir ?
Par quel miracle vas-tu nous rendre la vie ?
Que peux-tu avec nous,
que pouvons-nous avec toi ?

Toi, Jésus Christ, mort et ressuscité,
es-tu pour nous quand nous voulons vivre ?
Es-tu avec nous pour lutter contre le mal
et porter le poids du jour ?
Où serais-tu, si tu n'étais d'abord
avec ceux qui perdent cœur ?

Viens, Seigneur Jésus;
viens nous délivrer de l'angoisse et de la peur,
de tout ce qui rétrécit l'homme
quand il perd pied et s'abandonne.

Viens nous appeler à vivre plus fort,
à aimer toujours plus vrai.

Viens, et fais à chaque instant
que nous tirions de nous-mêmes
des réserves neuves.
Mets si fort ton soleil dans nos cœurs
que nos mains inutiles, autour de nous,
sèment ta paix et ta lumière.
Seigneur ressuscité, fais de nous des vivants.
Amen.

(Auteur inconnu)

Délivre-moi de cette épreuve

Le Seigneur nous connaît et il sait ce qui est bon pour nous.

Dans : CENTRE NATIONAL DE PASTORALE LITURGIQUE, *Rencontrer le Seigneur Jésus*, Éd. du Chalet, 1971, p. 45.

Seigneur, si telle est ta volonté,
délivre-moi de cette épreuve.
Rends-moi la santé,
pour que je puisse bientôt
retrouver ma famille
et reprendre mon travail.
Seigneur, ta volonté est Amour, et tu sais…
Tu sais ce qui est bon pour moi,
et ce qui ne l'est pas.
Je fais appel à ton amour
pour moi et pour les miens :
je sais que tu nous aimes
et que tu veux la Vie.
Je m'abandonne entre tes mains.
Donne-nous aujourd'hui d'accomplir ta volonté
sur la terre comme au ciel.

(Auteur inconnu)

Père, voici ma vie

Cette prière, d'abord destinée aux malades, peut aussi servir à tous de prière d'abandon.

Notice biographique sur Pierre Lyonnet : p. 41.

Dans : PIERRE LYONNET, *Écrits spirituels*, Éd. de l'Épi, 1951, p. 162.

Père, c'est à toi que je m'adresse, ce soir,
avec une confiance tranquille et paisible.
Ton Fils m'a appris que tu étais mon Père,
qu'il ne fallait pas t'appeler d'un autre nom.
Tu n'es que Père.

Père, je viens simplement te dire
que je suis ton enfant,
et je te le dis sérieusement,
et pourtant avec l'envie de rire et de chanter,
tellement c'est beau d'être ton fils;
mais c'est sérieux, car tu m'as tellement aimé,
et moi, si peu.

Père, fais de moi ce que tu veux;
me voici pour faire ta volonté.
Ta volonté, je le sais,
elle est que je devienne semblable à ton Unique,
le Frère Aîné qui m'a appris ton nom,
et que je marche sur le même chemin;
je sais cela, et avec quel amour je l'accepte!

Ô Père, je n'ai point de force,
mais j'ai la tienne.
Me voici : travaille en moi, taille et coupe,
soulève-moi ou laisse-moi tout seul,
je ne te ferai jamais l'injure d'avoir peur
ou de croire que tu m'oublies;
et si je trouve la croix très lourde
et que je n'y voie plus,
je pourrai du moins te répéter inlassablement
que je crois à ton amour
et que j'accepte ta volonté...

44

Seigneur Dieu, voici ma vie,
pour que tu en fasses ce que tu voudras,
pour que tu en fasses la vie de Jésus Christ.
Mais tu ne pourras empêcher que,
partout où tu m'enverras,
joyeux ou désolé, malade ou bien portant,
comblé ou humilié,
l'Esprit en moi ne clame vers toi, véhément,
appelant ton amour impérieusement,
pour mes frères les hommes
qui ne savent pas que tu es Père.
Ô Père, voici ma vie,
mais donne-moi mes frères,
que je te les rende.

(Pierre Lyonnet)

Le plus richement comblé

Ce texte est gravé sur une tablette de bronze dans la salle d'attente d'un institut de réadaptation à New York. Il exprime bien le retournement qui s'effectue dans une vie lorsqu'elle est éclairée par la mort et la résurrection du Christ.

J'ai demandé à Dieu la force
pour atteindre le succès;
il m'a rendu faible
afin que j'apprenne humblement à obéir.

J'ai demandé la santé
pour faire de grandes choses;
il m'a donné l'infirmité
pour que je fasse des choses meilleures.

J'ai demandé la richesse
pour pouvoir être heureux;
il m'a donné la pauvreté
pour pouvoir être sage.

J'ai demandé la puissance
pour obtenir l'estime des hommes;
il m'a donné la faiblesse
afin que j'éprouve le besoin de Dieu.

J'ai demandé un compagnon
afin de ne pas vivre seul;
il m'a donné un cœur
afin que je puisse aimer tous mes frères.

J'ai demandé toutes les choses
qui pourraient réjouir ma vie;
j'ai reçu la vie
afin que je puisse me réjouir de toutes choses.

Je n'ai rien eu de ce que j'avais demandé,
mais j'ai reçu tout ce que j'avais espéré.
Presqu'en dépit de moi-même,
les prières que je n'avais pas formulées
ont été exaucées.
Je suis, parmi les hommes,
le plus richement comblé.

(Auteur inconnu)

Pour supporter les épreuves avec patience

Une prière toute simple de John Henry Newman (1801-1890) pour associer nos souffrances à celles du Christ et à celles de Marie.

Notice biographique sur John Henry Newman : p. 7.

Ô mon Dieu et mon Sauveur,
vous qui avez supporté pour moi
de si grandes souffrances
avec patience et avec force,
donnez-moi le courage,
si je dois passer par de telles épreuves,
de les supporter aussi avec patience.

Obtenez-moi cette grâce, Vierge Marie,
vous qui avez vu votre Fils souffrir
et qui avez souffert avec lui,
de pouvoir m'associer, lorsque je souffre,
à ses souffrances et aux vôtres,
et d'obtenir ainsi, grâce à sa Passion,
grâce à vos mérites et à ceux de tous les saints,
d'être racheté pour la vie éternelle.

(John Henry Newman)

Pitié, Seigneur, je dépéris !
Seigneur, guéris-moi !
Car je tremble de tous mes os,
de toute mon âme, je tremble.
Reviens, Seigneur, délivre-moi,
sauve-moi en raison de ton amour !
(Psaume 6)

Soutiens mon courage

Quand la souffrance écrase... Quand on perd patience...

Seigneur, il m'est difficile de comprendre
et d'accepter cette souffrance.
Toi qui, durant ta vie terrestre,
as guéri les malades,
soutiens mon courage,
donne-moi la sérénité,
délivre-moi du mal.
Quand je ne trouverai plus les mots pour prier,
accepte ma maladie comme une prière.
Fais que cette épreuve me rapproche de toi.
Souviens-toi de mes parents, de mes amis,
des autres malades de cet hôpital,
de ceux et celles qui prennent soin de nous.
Garde-nous, Seigneur, dans ton amour.

(Pierre Dufresne)

*Ne me cache pas ton visage
le jour où je suis en détresse!
Le jour où j'appelle, écoute-moi;
viens vite, réponds-moi!*

(Psaume 101)

J'avais rêvé

Claude Brunet (né en 1940) est cloué sur un lit roulant depuis l'âge de 20 ans. Dans son livre *Ma souffrance*, il témoigne de sa foi profonde et fait part de ses réflexions sur le sens de sa vie.

Dans : CLAUDE BRUNET, *Ma souffrance*, Éd. Paulines, Montréal, 1970, p. 42.

J'avais rêvé, Seigneur, de déployer toutes les énergies de mon corps et les capacités de mon esprit à te faire connaître.

J'avais rêvé, malgré un rude handicap, d'avoir la réputation d'un gars robuste, lucide, amical et attachant, reconnaissable à son esprit de foi et à son estime des valeurs évangéliques, et menant par joyeuse préférence à toute autre vocation, une vie religieuse.

J'avais rêvé d'être sans cesse sur le qui-vive pour te servir aux heures de repas comme dans la prière, tantôt à l'étude et tantôt au milieu d'un dialogue fraternel, aux jours de souffrance et d'incompréhension aussi bien qu'en période d'harmonie et de bienveillance générale;
ma joie étant de chercher à te plaire,
mon repos, de travailler au salut des hommes,
mon passe-temps favori, de causer avec toi.

Un jour, en plein élan, mon corps s'est écroulé comme un arbre passé à la hache. Ce corps m'était un coursier docile et vigoureux, et le voici devenu un maître difficile et fouettard.

Ô souffrance, comme tu sais bien terrasser ta proie!

Maintenant, Seigneur, je ne peux plus rien faire pour toi... sauf aimer. Aimer à chaque respiration, aimer par le sourire, aimer à travers tous mes gestes microscopiques, aimer envers et contre tout... oui, peut-être.

Mais, je t'en supplie, trouve-toi quelqu'un pour réaliser mon rêve!

(Claude Brunet)

Seigneur Jésus crucifié

Seigneur Jésus crucifié dans un coin de ma chambre,
sur le mur, je te regarde.
Avec tes pieds cloués,
tes bras trop grands pour le reste de la croix,
ta bouche mal taillée dans le bois,
et tes yeux mi-clos
qui me regardent du coin de l'œil.

Seigneur, tu es plus beau que moi,
même en croix.
Plus beau que mes pensées
que tu laves, dans ma conscience, par ta bonté.

Seigneur Jésus crucifié, quelques fois,
après ma promenade du soir,
en revenant de je ne sais où,
après être monté à ma chambre lourdement,
marche par marche,
sous le poids de cette journée qui a été dure,
je te regarde avant de m'endormir.

Tu me regardes du coin de l'œil,
toi, Jésus crucifié, à qui je parle,
à qui j'ai envie de dire tout ce que je pense,
ce qui est en moi et que personne ne sait,
mon moi intime,
mon être même,
mon moi-même.

(Luc Campeau)

Vierge sainte

Un appel à Marie pour ceux qui souffrent.

Henri Perreyve (1831-1865), prêtre, a eu un grand rayonnement spirituel malgré la brièveté de sa vie.

Vierge sainte,
au milieu de vos jours glorieux,
n'oubliez pas les tristesses de la terre.
Jetez un regard de bonté
sur ceux qui sont dans la souffrance,
qui luttent contre les difficultés
et qui ne cessent de tremper leurs lèvres
aux amertumes de la vie.

Ayez pitié de ceux qui s'aimaient
et qui ont été séparés.
Ayez pitié de l'isolement des cœurs.
Ayez pitié de la faiblesse de notre foi.
Ayez pitié des objets de notre tendresse.
Ayez pitié de ceux qui prient,
de ceux qui tremblent,
de ceux qui pleurent.

Donnez à tous l'espérance et la paix.

(Henri Perreyve)

Ô Vierge, notre Mère

Quand partent ceux qu'on aime.

Dans : GEORGES MICHONNEAU, *Missel communautaire,* Éd. des œuvres religieuses et sociales, Paris, 1966, p. 768.

Ô Vierge, notre Mère,
toi qui connais nos cœurs,
écoute nos prières,
apaise nos douleurs.

Ceux qui s'aimaient sur terre
ont été séparés.
Dans la maison du Père,
daigne les rassembler.

Sois la grande espérance
qui nous soutient toujours.
Donne-nous l'assurance
de nous revoir un jour.

Quand, pour nous, viendra l'heure
et qu'il faudra partir,
au seuil de la Demeure,
viens pour nous accueillir.

(Georges Michonneau)

Souvenez-vous

Le *Souvenez-vous* a parfois été attribué à saint Bernard (1091-1153). Pourtant ce n'est qu'au 15e siècle qu'il apparaît dans les livres de prières. Il exprime admirablement la confiance indéfectible du chrétien, si pécheur fût-il, dans l'intercession de Marie.

Souvenez-vous,
ô très miséricordieuse Vierge Marie,
qu'on n'a jamais entendu dire,
qu'aucun de ceux qui ont eu recours
à votre protection,
imploré votre assistance,
ou réclamé votre secours,
ait été abandonné.

Animé d'une pareille confiance,
ô Vierge des vierges, ô ma Mère,
je viens à vous
et, gémissant sous le poids de mes péchés,
je me prosterne à vos pieds.

Ô Mère du Verbe incarné,
ne rejetez pas mes prières
mais écoutez-les favorablement
et daignez les exaucer.
Amen.

(Auteur inconnu, 15e siècle)

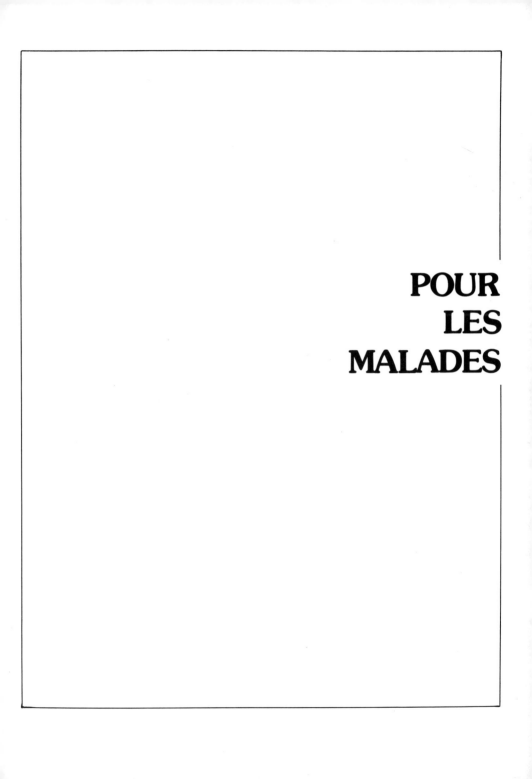

POUR
LES
MALADES

Je crie vers toi, Seigneur

Dieu est amour et pardon. En lui, notre espérance.

Des profondeurs je crie vers toi, Seigneur,
Seigneur, écoute mon appel !
Que ton oreille se fasse attentive
au cri de ma prière !

Si tu retiens les fautes, Seigneur,
Seigneur, qui subsistera ?
Mais près de toi se trouve le pardon
pour que l'homme te craigne.

J'espère le Seigneur de toute mon âme ;
je l'espère, et j'attends sa parole.

Mon âme attend le Seigneur
plus qu'un veilleur ne guette l'aurore ;
plus qu'un veilleur ne guette l'aurore,
attends le Seigneur, Israël.

Oui, près du Seigneur, est l'amour,
près de lui, abonde le rachat.
C'est lui qui rachètera Israël
de toutes ses fautes.

(Psaume 129)

J'étais un étranger
et vous m'avez accueilli,
malade et vous m'avez visité.

(Matthieu 25, 35-36)

Jésus souffrant dans les malades

Une prière qui concerne spécialement les infirmières, les médecins, mais aussi tous ceux qui, un jour ou un autre, ont à soigner des malades.

Prix Nobel de la paix en 1979, Mère Teresa de Calcutta, yougoslave d'origine, a mis sur pied des foyers pour les mourants, des léproseries, des crèches, des écoles. Elle a fondé une communauté religieuse, les Missionnaires de la charité, qui compte aujourd'hui plus de 1000 membres à travers le monde. Son action s'enracine dans la prière et la contemplation.

Dans : MALCOLM MUGGERIDGE, *Mère Teresa de Calcutta*, Éd. du Seuil, 1973, p. 67-68.

Jésus souffrant, Seigneur bien-aimé,
fais que je te voie aujourd'hui et chaque jour
en la personne de tes malades,
et qu'en les soignant je te serve.
Fais que, même caché
sous le déguisement sans attrait
de la colère, du crime ou de la déraison,
je sache te reconnaître et dire :
« Jésus souffrant, comme il est doux de te servir. »
Seigneur, donne-moi cette vision de foi,
et mon travail ne sera jamais monotone.
Je trouverai la joie en berçant les caprices
et comblant les vœux
de tous les pauvres qui souffrent.
Ô cher malade, tu m'es plus cher encore,
puisque tu représentes le Christ ;
quel privilège j'ai de pouvoir m'occuper de toi !
Doux Seigneur, permets-moi de mesurer
la dignité très haute de ma vocation,
et toutes ses responsabilités.
Ne me laisse pas la déshonorer
en cédant à la dureté,
la méchanceté ou l'impatience.
Ô Dieu, puisque tu es Jésus souffrant,
daigne être aussi pour moi,
un Jésus patient, indulgent pour mes fautes,
ne regardant que mes intentions
qui sont de t'aimer et servir en la personne
de chacun de tes enfants qui souffrent.
Seigneur, augmente ma foi,
bénis mes efforts et mon travail,
maintenant et à jamais. Amen.

(Mère Teresa)

L'appel de ceux qui souffrent

Pour tous ceux qui souffrent, mais aussi pour chacun de nous, afin que nous leur apportions une aide efficace ainsi que le réconfort de notre présence.

Dans : *Prières de la famille*, Éd. Tequi, 1976, p. 50.

Ô Dieu, refuge providentiel
de ceux qui souffrent,
écoute la prière
que nous t'adressons pour eux.
Rends la sérénité et réconforte
les malades et les infirmes,
les personnes âgées et les mourants.
Donne à ceux et à celles qui les soignent
la science et la patience,
le tact et la compassion.
Inspire-leur les gestes
qui procurent le soulagement,
les paroles qui éclairent
et l'amour qui réconforte.
Nous te recommandons les cœurs
découragés, révoltés,
harcelés par la tentation,
tourmentés par les passions,
blessés ou profanés
par la méchanceté des hommes.
Dépose en nous, Seigneur,
ton Esprit d'amour,
de compréhension et de sacrifice,
afin que nous apportions une aide efficace
aux souffrants que nous rencontrons
sur notre route.
Aide-nous à répondre à leur appel,
car cet appel est le tien.   Amen.

(Prières de la famille)

Pour ceux qui souffrent

Une prière ancienne mais toujours actuelle, à l'intention de tous ceux qui souffrent, dans leur âme ou dans leur corps.

Nous te prions, Seigneur,
toi l'intendant du monde,
toi qui as fait notre corps et créé notre âme.
Tu as façonné l'homme
et tu continues de garder
et de sauver toute l'humanité.
Ta bonté apaise les maux, Seigneur,
écoute favorablement notre prière.

Viens soutenir et guérir ceux qui souffrent
dans leur âme et dans leur corps,
commande à la maladie
et console ceux qui sont dans la peine.

Ainsi sera glorifié ton nom par le Christ Jésus
qui te rend gloire et puissance
dans l'Esprit Saint, maintenant et à jamais.

(Prière du 4ᵉ siècle)

Pour un ami qui est malade

Dans les moments de souffrance, nous avons besoin du réconfort et de la paix du Seigneur.

Notice biographique sur Rose-A. Lemire : p. 41.

Seigneur, tu vois ton enfant
cloué sur un lit d'hôpital.
Aie pitié de lui
comme tu as eu pitié autrefois
de ceux pour qui on réclamait de toi la guérison.
Sa souffrance est aussi notre souffrance,
car tu sais combien nous l'aimons.
Viens, Seigneur, et par ta grâce
soulage-le au moins,
si tu ne veux pas le guérir.
Donne-nous aussi la force nécessaire
pour que nous lui soyons
toujours présents dans son épreuve.
Sois pour ton enfant et pour nous,
le Dieu de réconfort et de paix.   Amen.

(Rose-A. Lemire)

Bénis nos malades

Par ses souffrances, le Christ a donné un sens à nos souffrances.

Dans : *Prières de la famille*, Éd. Tequi, 1976, p. 49-50.

Ô Dieu, ton Fils unique a pris sur lui
la pauvreté et la faiblesse de tous les hommes;
il a révélé ainsi la valeur mystérieuse
de la souffrance.
Bénis nos frères et nos sœurs malades,
afin que parmi les angoisses et les douleurs
ils ne se sentent pas seuls,
mais qu'unis au Christ,
médecin des corps et des âmes,
ils jouissent de la consolation
promise aux affligés.
Par le Christ, notre Seigneur.   Amen.

(Prières de la famille)

À Marie, pour les malades

Pour avoir souffert elle-même en union avec Jésus, Marie sait ce qu'est la souffrance. À elle nous pouvons avoir recours et recommander tous ceux qui sont malades, en particulier ceux qui sont le plus près de nous.

Dans : F. LELOTTE, *Rabbôni*, Casterman/ Foyer Notre-Dame, 1961, p. 257-258.

Soyez au chevet de tous les malades du monde :
de ceux qui, à cette heure,
ont perdu connaissance et vont mourir;
de ceux qui viennent de commencer leur agonie;
de ceux qui ont abandonné tout espoir de guérison;
de ceux qui crient et pleurent de douleur;
de ceux qui ne parviennent pas
à se soigner, faute d'argent;
de ceux qui voudraient tant marcher
et qui doivent rester immobiles;
de ceux qui devraient se coucher
et que la misère force à travailler;
de ceux qui cherchent en vain,
dans leur lit, une position moins douloureuse;
de ceux qui passent de longues nuits
à ne pouvoir dormir;
de ceux que torturent les soucis
d'une famille en détresse;
de ceux qui doivent renoncer
à leurs plus chers projets d'avenir;
de ceux, surtout, qui ne croient pas
à une vie meilleure;
de ceux qui se révoltent et maudissent Dieu;
de ceux qui ne savent pas
que le Christ a souffert comme eux et pour eux.

(Auteur inconnu)

Être le signe de ton amour

Chiara Lubich (née en 1920) est à l'origine du Mouvement des *Focolari* qui met l'accent sur la présence vivante de Jésus Christ au milieu de la communauté.

Ceux qui sont seuls, Seigneur,
donne-les moi.
J'ai éprouvé dans mon cœur
ta compassion devant les délaissés
qui emplissent le monde.
J'aime tout être malade et solitaire.
Qui console leur peine ?
Qui pleure sur leur mort lente ?
Qui presse sur son propre cœur
leurs cœurs sans espérance ?
Donne-moi d'être tes bras,
d'être le signe efficace de ton amour
qui étreint et consume
toute la solitude du monde.

(Chiara Lubich)

Pour nos compagnons de maladie

Dans : CENTRE
NATIONAL DE
PASTORALE
LITURGIQUE, *Rencontrer le Seigneur Jésus*, Éd. du Chalet,
1971, p. 44.

Seigneur Jésus Christ,
tu as affronté pour nous
le dénuement, la souffrance et la mort :
envoie-nous ton Esprit Saint
pour que nous puissions te suivre
là où tu nous appelles.
Reçois ma prière
pour tous mes compagnons de chambre.
Tu les connais, Seigneur,
parce que tu les aimes.
Donne-moi de te reconnaître en chacun d'eux,
et fais-moi la grâce
de savoir partager leur fardeau,
dans la mesure de mes forces,
au nom de ton amour.   Amen.

(Auteur inconnu)

Seigneur, entends ma prière;

dans ta fidélité réponds-moi.

(Psaume 142)

Pour la terre entière

G. La Pira a été maire de la ville de Florence, en Italie.

Seigneur, je te recommande
tous ceux qui souffrent et qui pleurent,
et tous ceux qui font pleurer et souffrir.
Je te recommande les enfants abandonnés,
la jeunesse entourée de scandales et de dangers,
la vieillesse dans le besoin,
et tous ceux qui souffrent de la pauvreté.
Je te prie, Seigneur,
pour tous ceux qui pleurent la mort d'êtres chers,
pour ceux qui cherchent en vain du travail,
pour les malades, les prisonniers,
les combattants, les personnes déplacées.
Seigneur, aide-les tous, réconforte-les, bénis-les.
Je te prie pour la terre entière,
pour le Pape, les évêques,
les prêtres, les missionnaires.
Je te prie pour les infidèles
et tous ceux qui sont loin de l'Église.
Fais, Seigneur, qu'il n'y ait qu'un seul troupeau
et qu'un seul pasteur.

(G. La Pira)

Reste avec nous

Dans : CENTRE NATIONAL DE PASTORALE LITURGIQUE, *Rencontrer le Seigneur Jésus*, Éd. du Chalet, 1971, p. 43.

Déjà le jour baisse :
reste avec nous
et avec toute ton Église.
La nuit approche
et les malades la redoutent.

Ceux qui ne dorment pas,
veille sur eux :
Tu es la Lumière.

Ceux qui souffrent,
apaise-les :
Tu es la Paix.

Ceux qui n'en peuvent plus,
soulage-les :
Tu es Douceur et Force.

Ceux qui sont seuls,
visite-les :
Tu es l'Amour.

Ceux qui sont endormis,
protège-les :
Tu es l'Espérance.

Reste avec nous, Seigneur,
reste avec nous :
Tu es la Vie.

(Auteur inconnu)

L'AUTOMNE
DE LA VIE

Seigneur, mon espérance

Le Seigneur qui nous a choisis dès avant notre naissance ne nous abandonnera pas aux jours de la vieillesse. Son amour est éternel, sa fidélité d'âge en âge.

En toi, Seigneur, j'ai mon refuge :
garde-moi d'être humilié pour toujours.
Dans ta justice, défends-moi, libère-moi,
tends l'oreille vers moi, et sauve-moi.

Seigneur mon Dieu, tu es mon espérance,
mon appui dès ma jeunesse.
Toi, mon soutien dès avant ma naissance,
tu seras ma louange toujours !

Je n'avais que ta louange à la bouche,
tout le jour, ta splendeur.
Ne me rejette pas maintenant que j'ai vieilli ;
alors que décline ma vigueur, ne m'abandonne pas.

Et moi qui ne cesse d'espérer,
j'ajoute encore à ta louange.
Ma bouche annonce tout le jour
tes actes de justice et de salut.

Je revivrai les exploits du Seigneur
en rappelant que ta justice est la seule.
Mon Dieu, tu m'as instruit dès ma jeunesse,
jusqu'à présent, j'ai proclamé tes merveilles.

Aux jours de la vieillesse et des cheveux blancs,
ne m'abandonne pas, ô mon Dieu ;
et je dirai aux hommes de ce temps ta puissance,
à tous ceux qui viendront, tes exploits.

Toi qui m'as fait voir tant de maux
et de détresses,
tu me feras vivre à nouveau,
tu m'élèveras et me grandiras,
tu reviendras me consoler.

(Psaume 70)

L'automne s'avance

Eddie Doherty était un journaliste célèbre dans tous les États-Unis. Un jour, il rencontra Catherine de Hueck et, ensemble, ils fondèrent « Madonna House », à Combermere, en Ontario. Quelques années plus tard, Eddie devint prêtre de rite melchite.

Dans : EDDIE DOHERTY, *Psaumes d'un pêcheur*, Éd. du Cerf, 1979, p. 111-112.

L'automne s'avance à la hâte,
l'automne du long jour
que vous m'avez donné;
un jour, l'heure de ma sieste viendra.
Seigneur, faites que je travaille
jusqu'à la dernière minute
comme le ruisseau.
Laissez-moi chanter votre miséricorde
et votre amour.
Laissez-moi être joyeux.
Et quand enfin je fermerai les yeux
pour ne plus rêver,
laissez le monde se remplir de votre gloire
et de l'éclat du merveilleux parfum de votre mère,
la toute sainte, l'immaculée,
la plus bénie, notre glorieuse Dame.
Ne vous souvenez pas des ombres
de ma vie coupable.
Qu'il n'y ait aucune ombre
quand vous viendrez.
Et si vous m'attirez à vous, mon Dieu,
absorbez-moi, retenez-moi, bénissez-moi
et laissez mes chansons,
tel le murmure d'un ruisseau mince et misérable,
tomber doucement comme de la pluie
dans des cœurs racornis,
dans des esprits desséchés de soif,
dans des âmes dénudées et arides;
qu'ils puissent en être renouvelés,
qu'ils puissent rire et aimer,
qu'ils puissent porter vos fruits.

(Eddie Doherty)

Et ma joie demeure

Jacques Loew a travaillé plusieurs années comme débardeur à Marseille. Il est maintenant directeur de « l'École de la foi », à Fribourg, en Suisse.

Me voici revenu, mon Dieu, mon Ami et mon Père,
au lieu où, pour la première fois, j'ai prié.
Cela fait quarante ans,
et l'homme jeune d'alors
est aujourd'hui au seuil de la vieillesse.
Depuis des mois,
mon Dieu auquel je ne pouvais croire,
je te cherchais.
Dans les livres, les raisonnements,
dans la détresse de l'intelligence,
dans l'affolement des sens et de la nuit.
Et là, dans ce monastère de montagne,
oui, pour la première fois,
sans croire encore,
ou tout au moins en croyant ne pas croire,
j'ai dit Notre Père...

En même temps, je faisais des projets :
« Si tu viens à être sûr que Dieu existe,
que ce n'est pas une façon commode
d'expliquer l'inexplicable,
si un jour tu es certain de Dieu,
il te faudra changer ta vie... »
Et me voilà faisant des comptes,
ceux du permis et ceux du défendu,
l'arbre du bien et du mal,
le possible, l'impossible.
Et la platitude serait née de cette comptabilité.
Mais peu à peu,
voici que Dieu a tout illuminé,
et la terre et le ciel et ma vie,
et depuis ces quarante ans, émerveillé,
je redis le psaume :
« Les ténèbres même n'obscurcissent pas pour Toi !
La nuit éclaire comme le jour !
Semblables les ténèbres,
semblable la lumière. » (Ps 139)

« Tu es Dieu, mon Dieu, et tu m'aimes,
et qu'irai-je donc chercher en dehors de toi ? »
Alors les vieux mots de la Bible :
« Abraham, quitte ton pays, ta maison »
et ceux de Jésus Christ : « Viens, suis-moi »
étaient les seuls à avoir une consistance.

Aujourd'hui, je fais mes comptes :
le débit est plus lourd que l'actif, je sais ;
j'ai si souvent repris les miettes
que j'avais données,
mais au fond qu'importe :
il est bon, il est meilleur
de me savoir pauvre et pécheur.
Mais l'essentiel que je veux dire,
c'est que Dieu ne m'a pas déçu,
ni le Christ, ni l'Église (c'est tout un)
et tout a été plus riche, plus incroyablement beau
que les espérances imaginées,
et la joie demeure,
moins éblouissante, plus totale.

(Jacques Loew)

Je cherche le Seigneur, il me répond :
de toutes mes frayeurs, il me délivre.
Qui regarde vers lui resplendira,
sans ombre ni trouble au visage.
Un pauvre crie ; le Seigneur entend :
il le sauve de toutes ses angoisses.

(Psaume 33)

Pour les heures sombres

Pierre Teilhard de Chardin (né en 1881), jésuite, a élaboré une œuvre originale où s'allient merveilleusement la science et la foi. Il est mort à New York le jour de Pâques 1955. La prière ci-contre nous fait voir la vieillesse et la mort dans une perspective d'évolution et de croissance.

Dans : PIERRE TEILHARD DE CHARDIN, *Le milieu divin*, Éd. du Seuil, 1957, p. 95.

Lorsque sur mon corps
(et bien plus sur mon esprit)
commencera à marquer l'usure de l'âge;
quand fondra sur moi du dehors,
ou naîtra en moi du dedans,
le mal qui amoindrit ou emporte;
à la minute douloureuse
où je prendrai tout à coup conscience
que je suis malade
ou que je deviens vieux;
à ce moment dernier, surtout,
où je sentirai que je m'échappe à moi-même,
absolument passif
aux mains des grandes forces inconnues
qui m'ont formé;
à toutes ces heures sombres,
donnez-moi, mon Dieu,
de comprendre que c'est Vous
(pourvu que ma foi soit assez grande)
qui écartez douloureusement
les fibres de mon être
pour pénétrer jusqu'aux moelles
de ma substance,
pour m'emporter en Vous.

(Pierre Teilhard de Chardin)

Que je ne devienne pas un vieux grognon

Une prière pour être
un beau vieux : ouvert,
généreux, souriant…

Joseph Folliet (1903-
1972), sociologue,
théologien, orateur,
était aussi, peut-être
surtout, un poète et un
priant.

Dans : JOSEPH
FOLLIET, *Le soleil
du soir*, Éd. Le Cen-
turion, Paris, 1972,
p. 65-67.

Seigneur, qui avez partagé
la vie de l'homme en étapes
et lui avez fait la vieillesse,
ne permettez pas que je devienne
un de ces vieux grognons,
toujours en train de dénigrer,
de rouspéter, de ronchonner,
attristants pour eux-mêmes,
insupportables aux autres.
Gardez-moi le sourire et le rire,
même s'ils ouvrent une bouche édentée
ou découvrent des dents artificielles.
Gardez-moi le sens de l'humour,
qui remet les choses, les gens, — et moi-même —
à leur juste place,
qui nous permet de rire de nos propres maux
et transforme nos peines
en objet de bonnes plaisanteries.
Faites-moi, Seigneur, un vieillard souriant,
qui, ne pouvant plus donner
grand-chose à mes frères,
leur donne du moins un peu de joie.

Seigneur, qui avez planté dans ma poitrine
un cœur de chair pour aimer et pour être aimé,
un cœur semblable au Cœur transpercé
de votre Fils,
ne permettez pas que je devienne
un vieillard égoïste,
recroquevillé sur son petit moi
comme sur un maigre feu de tourbe,
enfermé dans ses limites
comme entre quatre murs,
sans cesse travaillé par la crainte du manque
et des courants d'air.

Gardez-moi un cœur ouvert,
une main toujours prête à serrer d'autres mains
et à s'ouvrir pour le don.
Faites-moi, Seigneur, un vieillard généreux,
qui partage ses quatre sous
avec ceux qui n'en ont qu'un,
et les fleurs de son jardin
avec ceux qui n'ont point de terre,
qui caresse au passage les chiens et les chats,
qui sourit aux petits enfants,
et émiette du pain aux moineaux
dans les jardins publics.

Seigneur, éternel présent,
ne permettez pas que je devienne l'homme du passé,
parlant toujours de son bon vieux temps
où il ne faisait jamais froid,
et méprisant le temps des jeunes,
où il pleut sans cesse.
Faites que je revive mon passé avec joie,
mais que je sache comprendre
et aimer cet aujourd'hui,
qui est vôtre comme le passé et l'avenir.
Faites de moi, Seigneur,
un vieillard qui n'a pas oublié sa jeunesse
et qui rajeunit la jeunesse des autres.
Seigneur, qui avez fixé les saisons de l'année
et celles de la vie,
faites que je sois un homme de toutes les saisons.
Je ne vous demande pas le bonheur,
car je sais trop que nulle saison ne l'apporte,
pas même le printemps.
Je vous demande simplement
que mon arrière-saison soit belle,
afin qu'elle porte témoignage à votre beauté.
Amen.

(Joseph Folliet)

Reste avec moi, Seigneur

Un appel au Seigneur pour qu'il reste avec nous. Une prière inspirée de la rencontre des disciples d'Emmaüs avec le Seigneur, au soir de la résurrection.

Reste avec moi, Seigneur,
parce que tu sais
avec quelle facilité je t'oublie;
parce que je suis faible
et que j'ai besoin de ta force;
parce que tu es ma vie
et que, sans toi, je suis sans ferveur;
parce que tu es ma lumière
et que, sans toi, je suis dans les ténèbres;
parce que je désire t'aimer
et être toujours en ta compagnie;
parce que, si pauvre soit mon âme,
elle désire être pour toi
un lieu de consolation;
parce qu'il se fait tard
et que le jour baisse;
parce qu'il est nécessaire
de refaire mes forces
pour ne pas m'arrêter en chemin;
parce que la vie passe
et que la mort approche;
parce que je crains les ténèbres,
les tentations, les sécheresses,
les croix, les peines;
parce que dans les dangers,
j'ai besoin de toi.

Fais que je te reconnaisse,
comme tes disciples,
à la fraction du pain.
Que la communion eucharistique
soit la lumière qui dissipe la nuit,
la force qui me soutienne,
la joie de mon cœur.

Je ne demande pas les consolations divines,
parce que je ne le mérite pas,
mais le don de ta présence.
C'est toi seul que je cherche,
ton amour, ta grâce, ton esprit.
Fais que j'entende ta voix
et que je te suive.

Reste avec moi, Seigneur,
parce que je t'aime
et ne demande pas d'autre récompense
que de t'aimer davantage :
t'aimer de tout mon cœur sur la terre,
pour continuer à t'aimer parfaitement
dans l'éternité.

(Auteur inconnu)

Pour les personnes âgées

Dans : *Prières de la famille*, Éd. Tequi, 1976, p. 50-51.

Ô Dieu éternel, au fil des ans
tu restes toujours le même :
sois proche des personnes âgées.
Quand bien même leur corps s'affaiblit,
fais que leur esprit soit fort,
afin qu'elles puissent supporter avec patience
les fatigues et les afflictions
et aller finalement avec sérénité
à la rencontre de la mort.
Par le Christ, notre Seigneur.   Amen.

(Prières de la famille)

Prière du vieillard

Prière empreinte de sérénité et de paix.

Jacques Leclercq, né en 1923, après avoir été longtemps vicaire en Afrique, se consacre maintenant à l'accueil à Notre-Dame de Paris.

Dans : JACQUES LECLERCQ, *Joie de vieillir*, Les Éditions Universitaires, Paris, 1968, p. 49-50.

Seigneur, je te remercie
de m'avoir donné une longue vie.
Car la vie est le premier des biens
que nous tenons de toi
et il contient tous les autres.
Quand on arrive au terme de la vie,
on l'a comme tout entière entre les mains.
Et je te l'offre, Seigneur,
avec le cortège de joies et de peines,
de bonnes actions et de moins bonnes,
avec les enthousiasmes et les déceptions,
avec ceux qui ont accompagné ma vie,
ceux qui ont disparu, ceux qui leur ont succédé,
ceux qui continuent
et qui portent le poids du jour
que j'ai aussi porté.
J'ai fini et je viens à toi.

Merci, Seigneur, de me laisser à présent
quelques années dans la paix,
pour me tenir en face de toi
attendant que tu viennes me prendre.
Je songe aux grands-mères de mon enfance
qui égrenaient leur chapelet
et étaient douces à leurs petits-enfants.
Donne-moi la limpidité du vieillard
qui ne cherche plus rien pour soi
et laisse un souvenir de paix.
Et je regarde vers toi, Seigneur.
Ta venue est une lumière.

(Jacques Leclercq)

J'ai aimé

Sous forme de prière, le regard aimant d'une célèbre femme poète du Québec sur sa vie et tout ce qui l'a tissée.

Dans : RINA LASNIER, *Images et proses*, Les Éditions du Richelieu, Saint-Jean, Québec, 1941, p. 11-12.

J'ai aimé ma vie, Seigneur,
plus que l'oiseau n'aime son essor,
et le renard, sa tanière.
J'ai aimé l'herbe toujours redressée
sous nos écrasements,
et la neige plus blanche
que la laine et les mains des femmes.
J'ai aimé les roses espacées sur le rosier
comme les menues joies
au long de l'existence,
et la rosée silencieusement venue la nuit,
comme les larmes.
J'ai aimé l'air spirituel du matin,
la senteur opulente des midis
mûrissant le verger.
J'ai aimé la souffrance,
brusque comme la sauterelle,
et la joie,
douce comme la rondeur du fruit.
J'ai aimé mes pas de tous les jours,
les approfondissant encore
afin que montent plus sûrement
ceux qui me suivront.
J'ai aimé cette bénédiction sur mes fils,
ce bonheur d'être dépassée
par ceux que j'aimais.
J'ai aimé toute ma vie
orientée vers vous, Seigneur,
comme un sillon pointant droit
au cœur du soleil.

(Rina Lasnier)

AU BOUT
DU CHEMIN

Comme quand le ciel se découvre

Un texte admirable qui nous vient de l'Égypte ancienne et qui date de 1800 à 2000 ans avant le Christ. Il nous parle de la mort en termes de délivrance, de retour à la maison, de rencontre avec un Dieu vivant.

Dans : F. DAUMAS, *La civilisation de l'Égypte antique*, Coll. « Les grandes civilisations », Éd. Arthaud, Paris, 1971, p. 339-340.

La mort est aujourd'hui devant moi,
comme la guérison d'un grand malade,
comme la sortie au grand air après l'abattement.

La mort est aujourd'hui devant moi,
comme le parfum de l'Oliban,
comme le repos à l'abri d'un voile
un jour de grand vent.

La mort est aujourd'hui devant moi,
comme le parfum des lys,
comme le repos sur la rive d'un pays d'ivresse.

La mort est aujourd'hui devant moi,
comme la fin d'un orage,
comme le retour à la maison après une expédition.

La mort est aujourd'hui devant moi,
comme quand le ciel se découvre,
comme on s'en irait d'ici
chasser vers un pays qu'on ignore.

La mort est aujourd'hui devant moi,
comme le désir qu'a un homme de revoir sa maison,
après avoir passé nombre d'années en captivité.

En vérité, celui qui est là-bas,
c'est un Dieu vivant.

(Sagesse de l'Égypte antique)

Tu es avec moi

Avec Jésus, notre Bon Pasteur, nous ne manquons de rien : il nous fait revivre dans les eaux du baptême; pour nous, il prépare la table eucharistique; il nous conduit, par-delà la mort, jusqu'à la maison du Père.

Le Seigneur est mon berger :
je ne manque de rien.
Sur des prés d'herbe fraîche,
il me fait reposer.

Il me mène vers les eaux tranquilles
et me fait revivre;
il me conduit par le juste chemin
pour l'honneur de son nom.

Si je traverse les ravins de la mort,
je ne crains aucun mal,
car tu es avec moi :
ton bâton me guide et me rassure.

Tu prépares la table pour moi
devant mes ennemis;
tu répands le parfum sur ma tête,
ma coupe est débordante.

Grâce et bonheur m'accompagnent
tous les jours de ma vie;
j'habiterai la maison du Seigneur
pour la durée de mes jours.

(Psaume 22)

Je suis la lumière du monde.
Celui qui marche à ma suite
aura la lumière de la vie.

(Jean 8, 12)

J'accepte

Chaque chrétien est appelé à faire de sa mort un acte d'amour à l'exemple de Jésus sur la croix : « Père, je remets mon âme entre tes mains. »

Dans la revue *Prier*, n° 16, novembre 1979, p. 20.

J'accepte ma mort,
et je veux qu'elle soit une prière.
Puissé-je tout au long de mes jours,
et toujours davantage,
tenir mon âme unie à vous,
ô mon Souverain et unique Bien.

J'accepte ma mort.
Je crois, Seigneur, en la vie éternelle.
Je veux que ma mort soit un acte de foi
en votre puissance qui me brise pour me ressusciter,
en votre miséricorde qui m'accable pour me vivifier,
en votre extrême bonté
qui m'enlève tout pour me combler.

J'accepte ma mort
pour expier mes péchés si nombreux.
Que ma mort, ô mon Dieu,
unie à la vôtre et sanctifiée par la vôtre,
satisfasse à toutes vos exigences
et règle toutes mes dettes par vos mérites infinis.

J'accepte ma mort
pour vous remercier de vos bienfaits,
car je n'ai rien qui ne me vienne de votre bonté.
Vous pouvez tout reprendre, mon Dieu,
à l'heure qu'il vous plaira, et comme vous voudrez.
Je veux que ma mort vous dise merci
et proclame que je dépends entièrement de vous.

J'accepte ma mort.
Que mon dernier soupir soit un acte d'amour.
Je veux, à ma mort, tout remettre entre vos mains,
et vous faire, par pur amour,
le sacrifice généreux de ma vie.

(Père Michel)

Pour les mourants

Dans : *Prières de la famille*, Éd. Tequi, 1976, p. 51.

Ô Dieu, grand et miséricordieux,
par la mort du Christ,
tu as ouvert aux hommes
le chemin de la vie éternelle :
veille sur notre frère (sœur) N...
dans les souffrances de l'agonie,
afin qu'uni(e) à la Passion de ton Fils
et purifié(e) par son sang rédempteur,
il (elle) puisse se présenter avec confiance
devant ta Face.
Par le Christ, notre Seigneur.   Amen.

(Prières de la famille)

---

*Les souffrances du temps présent
sont sans proportion
avec la gloire
qui doit être révélée en nous.*

(Romains 8, 18)

Dans tes grands bras

Plusieurs ont regardé la mort comme une amie, d'autres comme un spectre. Ghislaine Salvail nous en parle ici à la façon du poète de l'Ecclésiaste (Qo 12, 1-8).

Ghislaine Salvail, de la Communauté des Sœurs de Saint-Joseph à Saint-Hyacinthe, est actuellement agent de pastorale à la Cathédrale de cette ville.

Aie pitié, Seigneur,
de mes frayeurs en chemin,
du jour qui baisse à ma fenêtre.
Dis-moi, dis-moi que tu viens.

Lorsque se tairont les chansons de joie,
que le câprier laissera échapper son fruit,
fais-moi un signe de la main.

Avant que la lampe d'or ne se brise,
que la voix de la meule ne s'arrête,
avant que je redoute les montées,
tiens-toi dans la lumière au bout du chemin.

Si la cruche se casse à la fontaine
et que la poulie se fende sur le puits,
c'est que ton heure est proche, Seigneur.

Quand l'homme vigoureux se courbera,
que la femme travailleuse cessera de moudre,
que la sauterelle s'alourdira,
apprends-moi, Seigneur,
que tout passe comme un souffle.

Seulement, lorsque j'irai
vers ma maison d'éternité,
que l'amandier refleurira,
j'aimerais sauter dans tes grands bras,
tes grands bras de Dieu vivant.

(Ghislaine Salvail)

Le temps est-il venu ?

Poète, philosophe, prédicateur, musicien, peintre, éducateur, Rabîndranath Tagore (1861-1941) est un des plus grands écrivains de l'Inde. Le plus beau de ses recueils, *L'offrande lyrique*, lui valut le prix Nobel en 1913.

Dans : RABÎNDRA-NATH TAGORE, *L'offrande lyrique* suivi de *La corbeille de fruits*, Gallimard, 1975, p. 44.

J'ai reçu mon invitation
pour le festival de ce monde,
et ainsi ma vie a été bénie.
Mes yeux ont vu
et mes oreilles ont entendu.

C'était ma part à cette fête,
de jouer de mon instrument,
et j'ai fait tout ce que j'ai pu.

Maintenant, je le demande,
le temps est-il venu enfin,
où je puisse entrer,
voir ta face
et t'offrir ma salutation silencieuse ?

(Rabîndranath Tagore)

Tu me rendras la vie

Confiance et espérance caractérisent cette très belle prière tirée du Coran, le livre sacré des Musulmans.

Seigneur des mondes, tu m'as créé.
C'est toi qui me guides;
c'est toi qui me nourris
et qui me donnes à boire;
c'est toi qui me guéris,
lorsque je suis malade.
C'est toi qui décideras de ma mort,
puis me rendras la vie.
C'est toi qui, selon mon ardent désir,
pardonneras mes fautes au Jour du jugement.

Seigneur, accorde-moi la Sagesse
et place-moi au nombre des justes.
Crée en moi une langue qui énonce la Vérité
pour les générations futures.
Assiste-moi au dernier jour.
Fais que je sois parmi ceux
qui gagneront la félicité du Paradis.
Ne me fais pas un triste sort
le Jour de la résurrection,
le Jour où ni fortune, ni enfants
ne seront d'aucun secours,
où seul comptera pour l'homme
de s'en remettre à toi avec un cœur pur.

(Le Coran, Sourate 26, 77-89)

---

*Je tends les mains vers toi,
me voici devant toi
comme une terre assoiffée.*
(Psaume 142)

88

Je m'éveillerai dans la lumière

Notre confiance est dans le Seigneur que nous reconnaissons présent à chaque instant de notre vie.

Ô mon Dieu,
si je vous aime, rien ne me coûte,
si je vous possède, rien ne me manque.

Si vous êtes avec moi,
il n'y a pas pour moi de solitude.

Si je ne suis pas séparé de vous,
il n'y a pas pour moi d'exil.

Si vous ne me rejetez pas de votre face,
je ne serai jamais sans espérance.

Si vous ne retirez pas de moi votre Esprit,
je ne serai jamais sans amour.

Si vous inclinez vers moi votre visage,
je ne connaîtrai pas l'angoisse.

Si vous me nourrissez de votre chair,
je ne connaîtrai pas la mort.

Si vous vous révélez à moi,
je m'éveillerai dans la lumière.

Si votre main touche mon âme,
je m'épanouirai dans la joie éternelle.

(Madeleine Daniélou)

Au-delà

La mort débouche sur
la grande lumière de
Dieu. « La vie
éternelle, c'est de te
connaître, toi, le seul
vrai Dieu, et celui que
tu as envoyé, Jésus
Christ. » (Jean 17, 3)

Dans : JEAN GALOT,
Prières d'espérance,
Les Éditions Sintal,
Louvain, 1971, p. 43.

Au-delà de la mort, Seigneur,
tu me prépares un bonheur sans limites,
bonheur dont je ne puis comprendre
maintenant toute l'intensité,
mais dont tu as parlé en termes séduisants
pour le faire espérer.
Tourne vers ce bonheur
mes plus profonds attraits,
car il est mystérieux,
et paraît si lointain que je serais tenté
de l'apprécier trop peu.
Stimule mon désir d'entrer en possession
de ton être divin,
et fais-moi aspirer à cette grande étreinte
où tu te donneras.
Montre-moi que toi seul
tu es la vraie richesse
qui subsiste toujours,
que toi seul es l'amour
capable de combler ma soif d'intimité.
Ne laisse pas mon cœur
se faire prisonnier d'autres joies que la tienne,
ni chercher l'absolu en des êtres terrestres
alors qu'il n'est qu'en toi.
Apprends-moi à rêver de ce moment suprême,
celui de la rencontre,
où ton cœur s'ouvrira pour saisir tout mon être
dans un cri de bonheur.

(Jean Galot)

À la rencontre de son Seigneur

Un texte d'une grande beauté qui parle de la mort en termes d'épousailles.

Notice biographique sur Rabîndranath Tagore : p. 87.

Dans : RABÎNDRA-NATH TAGORE, *L'offrande lyrique* suivi de *La Corbeille de fruits*, Gallimard, 1975, p. 126.

Ô toi, suprême accomplissement de la vie,
Mort, ô ma mort,
accours et parle-moi tout bas !

Jour après jour,
j'ai veillé pour t'attendre;
pour toi j'ai supporté les joies
et les angoisses de la vie.

Tout ce que je suis, tout ce que j'ai,
et mon espoir et mon amour,
tout a toujours coulé vers toi
dans le mystère.
Un dernier éclair de mes yeux
et ma vie sera tienne à jamais.

On a tressé les fleurs
et la couronne est prête pour l'époux.
Après les épousailles,
l'épouse quittera sa demeure
et, seule, ira dans la nuit solitaire,
à la rencontre de son Seigneur.

(Rabîndranath Tagore)

---

*Rappelle-toi, Seigneur, ta tendresse,
ton amour qui est de toujours.*

(Psaume 24)

L'éternel matin

Vaincue par le Christ, la mort est devenue un passage vers le jour qui n'a pas de fin.

Dans : PIERRE GRIOLET, *Tu viens nous rassembler*, Mame, 1972, p. 42.

Vienne le jour
où la mort n'aura plus d'empire.
Vienne le jour
où nous verrons
face à face
la lumière de ton visage.
Vienne le jour
de ta gloire
et l'aurore de notre amen.
Vienne le jour
des vivants
dans le printemps de ta tendresse.
Vienne le jour
de mon Seigneur de joie.
Vienne le jour
ouvert sur les siècles.
Vienne le jour
de mon Christ.
Vienne le jour
de mes frères.
Vienne le jour
qui est tien
et ta joie qui est nôtre.
Vienne le jour
de l'ultime étoile.
Vienne le jour
de l'éternel matin.

(Pierre Griolet)

Table des matières

Les éditeurs cités dans les références des textes ont bien voulu nous accorder l'autorisation de reproduire ces textes. Nous les en remercions cordialement, en particulier ceux qui nous ont accordé gracieusement cette permission.
Textes des chants (G79, G80) reproduits avec l'autorisation #175-3-81 du Secrétariat des Éditeurs de Fiches Musicales, C.P. 96, Succ. Cartierville, Montréal, Qué. H4K 2J4 Tél.: (514) 621-4148.
La traduction des psaumes est celle du *Psautier, Version œcuménique, Texte liturgique*, Éd. du Cerf, 1977. © A.E.L.F.
La traduction de Mt 6, 25-34 est celle du *Lectionnaire liturgique.* © A.E.L.F.

Paroles pour prier
SEIGNEUR, MON ESPÉRANCE
est édité par NOVALIS.

Choix des textes et des photos,
textes de présentation:
Pierre Dufresne

Maquette:
Gilles Lépine

Photographies:
Novalis: couverture, 27
Mary Kibblewhite: 4, 36, 80
Mia et Klaus: 11, 16
Ellefsen: 22
Cérac: 30
Nick Wolochatiuk: 45
François Carrière: 51 (céramique de Rose-Anne Monna)
Jos Kane: 54
Gérard Sirois: 59
Photothèque ONF: 62
H. Armstrong Roberts: 66
Joseph McMurray: 73
Ellen H. Eff: 87
Gilles Lafrance: 93

Copyright:
NOVALIS, Université St-Paul, Ottawa, 1981.

Distribution:

En Amérique

Novalis, 375, rue Rideau, Ottawa, Canada   K1N 5Y7
Dépôt légal: 4e trimestre 1981
Bibliothèque nationale du Canada
Bibliothèque nationale du Québec
ISBN: 2-89088-067-2

En Europe

Les Éditions du Cerf
29, bd Latour-Maubourg, Paris, France
No d'éditeur: 7580
Dépôt légal: avril 1983
ISBN: 2-204-01997-6

Imprimé au Canada